Para Ali, Jojo e Ben

Copyright © 1993 por Callis Editora Ltda
Tradução autorizada por Aladdin Books Ltd
Título original em inglês: Famous Children Haydn
Primeira edição feita na Grã-Bretanha, 1992, por Victor Gollancz
Copyright © 1992 by Aladdin Books Ltd, London
Coordenação editorial: Miriam B. B. Gabbai
Tradução e adaptação do original: Helena B. Gomes Klimes

Dados Internacionais de Catalogação na Publicação (CIP)
Câmara Brasileira do Livro, SP, Brasil

Rachlin, Ann
  Crianças Famosas: Haydn / Ann Rachlin e Susan Hellard;
tradução e adaptação do original Helena G. Klimes. -- São Paulo :
Callis, 1993.

  1. Joseph Haydn, 1732-1809 2. Músicos - Literatura infanto-juvenil I.
Hellard, Susan. II. Título. III: Haydn

93-0365   CDD-028.5

Índices para catálogo sistemático
1. Literatura infanto-juvenil 028.5
2. Músicos: Literatura infanto-juvenil 028.5

ISBN 978-85-85642-26-6

2008
Todos os direitos reservados.
Rua Oscar Freire, 379 6º andar
01426-001 • São Paulo • SP
Tel.: (11) 3068-5600 • Fax: (11) 3088-3133
e-mail: vendas@callis.com.br

Crianças Famosas
HAYDN

Ann Rachlin e Susan Hellard

1ª edição / 4ª reimpressão

Callis Editora Ltda

O pequeno Joseph Haydn adorava música. Todas as noites, depois do jantar, seu pai, Mathias, tocava harpa. Joseph se sentava em seu banquinho e segurava dois pedaços de madeira, como se fossem um violino. Era o seu violino de mentira. Mas o que Joseph realmente queria era tocar um violino de verdade.

Um dia, em 1738, Franck, um primo de Mathias, veio visitá-lo. Franck era professor em uma escola de música e também fazia arranjos musicais para a igreja de sua cidade. Franck tocava violino, e Joseph adorava ouvi-lo tocar. Naqueles dias, Mathias e Franck tocavam juntos, e Joseph fingia acompanhá-los com seus dois pedaços de madeira.

Uma noite, depois que Joseph foi para a cama, primo Franck disse: — Joseph é um garoto muito esperto. Mantém facilmente o ritmo e tem uma voz adorável. Ele deveria ter aulas de música. Deixe que venha morar comigo, Mathias. Eu o ensinarei a tocar violino e lhe darei aulas de técnica vocal.

Os pais de Joseph sentiram muito a sua falta, mas deixaram-no ir. A senhora Haydn fez as malas de Joseph que, com apenas seis anos de idade, partiu alegremente para a casa de Franck, em Hainburg.

Era trabalho duro! Joseph teve de estudar em livros, aprender a cantar com os outros meninos do coro da escola do primo Franck, além de aprender a tocar violino e cravo.

Quando estava em casa, a mãe de Joseph fazia com que ele estivesse sempre limpo e arrumadinho. Mas em Hainburg ninguém cuidava de suas roupas. Volta e meia elas estavam sujas, mesmo que ele tentasse mantê-las limpas. Joseph odiava isso. Ele também não ganhava muita comida, e quase sempre estava com fome. Mas quando cantava com os outros meninos, usando sua linda peruca de menino cantor, ele se esquecia de tudo.

Um dia, um importante visitante, chamado Herr Reutter, veio até a escola de Franck. Ele procurava um menino que pudesse cantar no coro da Catedral e já tinha ouvido falar do esperto Joseph. Todos os meninos cantaram para ele, e logo chegou a vez de Joseph.

Sobre a mesinha havia uma tigela com cerejas. Joseph ficou olhando para elas enquanto cantava. Quando acabou, Herr Reutter disse: — Você tem uma linda voz, é você o escolhido! Assim que completar oito anos você deve vir cantar no coro da Catedral de Santo Estevão, em Viena.

Depois Herr Reutter colocou algumas cerejas nas pequenas mãos de Joseph.

Joseph nunca tinha visto algo tão magnífico como a Catedral de Santo Estevão. Mas lá ele teve de estudar ainda mais. Sua voz era tão boa que logo estava cantando todas as partes solo. Algumas vezes, depois da missa, os garotos do coro passeavam pelas ruas da cidade no caminho para a escola. O padeiro Hermann sempre brincava com eles.

— Você cantou muito bem hoje, Joseph. Venha até aqui e prove um de meus pãezinhos recheados!

Naqueles dias Joseph já compunha suas próprias melodias. Precisava escrevê-las, mas não sabia como. Por isso, enquanto os outros garotos brincavam, Joseph estudava sozinho.

Um dia chegou um convite. Vinha do Palácio da Imperatriz Maria Thereza. Ela queria ouvir o coro dos meninos. Eles foram, e depois de cantar saíram para um passeio pelos jardins do palácio. Logo encontraram algumas escadas que estavam sendo usadas pelos pedreiros reais.

— Vamos até o telhado! — gritou Joseph. E todos começaram a subir.

— Venham já para baixo! — gritou a Imperatriz. — Nunca mais repitam isso, é muito perigoso.

E os meninos desceram envergonhados.

Na semana seguinte os meninos voltaram ao palácio. Após cantarem, Joseph deparou-se novamente com as escadas. Ele adorava aventuras.

— Vamos até o topo! — gritou ele, e começou a subir. Mas desta vez ninguém o seguiu.

— Como você se atreve? — perguntou Herr Reutter. — Meninos desobedientes devem ser punidos.

Joseph ainda estava aprendendo a escrever música, mas depois daquele dia Herr Reutter não o ajudaria.

— Já não tenho trabalho suficiente — esbravejava Herr Reutter —, escrevendo músicas para a família real?

Aflito, Joseph escreveu para seus pais. Eles ficaram uma semana sem comer, e assim conseguiram poupar dinheiro para comprar os livros de que Joseph precisava. Noite após noite ele estudava, enquanto os outros meninos dormiam.

Depois de algum tempo a voz de Joseph mudou. Ele ficou muito infeliz. Agora era seu irmão Michael quem cantava as partes solo. Joseph estava entediado. Viu uma tesoura e — snip! Cortou o rabo de cavalo da peruca de um menino que sentava à sua frente no coro. Herr Reutter ficou tão nervoso que mandou Joseph embora de Santo Estevão.

Joseph não tinha para onde ir. Do lado de fora dos portões da escola fazia frio e estava escuro.

— Olá Joseph Haydn! O que você está fazendo por aqui a esta hora da noite? — Era o seu amigo, o senhor Spangler.

— Você pode ficar em minha casa — ofereceu gentilmente o senhor Spangler. — Mas eu não posso lhe dar comida. Você terá de tocar violino para ganhar algum dinheiro e se alimentar.

Joseph começou a tocar, e todos adoravam as suas músicas. Então, um dia chegou uma carta. Vinha do príncipe de Esterhazy que o convidava a morar em seu palácio para lá reger sua orquestra.

O príncipe passou dois meses de férias em seu palácio de verão. Junto com ele foram os músicos, que sentiam saudades de suas famílias que ficaram em casa.

— Como podemos pedir ao príncipe que nos deixe ir para casa? — perguntavam à Joseph Haydn.

Joseph então escreveu uma música especial.

Naquela noite, quando o príncipe ouvia a nova composição de Haydn, um dos músicos se levantou, reverenciou o príncipe e saiu.

"Que estranho!", pensou o príncipe. Logo depois outro músico se levantou, fez sua reverência e saiu. E então outro.

—Ah! Entendi o recado! — disse o príncipe. — Que maneira agradável de pedir férias. E ordenou que suas carruagens levassem os músicos imediatamente para casa.

Os músicos adoravam Joseph. Eles o chamavam de "Papai Haydn". Em um de seus concertos, em Londres, Joseph notou que algumas pessoas adormeciam porque era tarde da noite. Isso o desagradou muito, e então Joseph compôs uma música calma e muito bonita que deixava a plateia sonolenta. Entretanto, no meio dessa música ele colocou um enorme estrondo que a todos acordou! Todos riram da brincadeira e ficaram acordados para apreciar seu concerto. Era a *Surpresa de Papai Haydn!*

Joseph Haydn compôs 104 sinfonias. Muitas tinham nomes. Aqui estão algumas delas: